Presentation Workbook 1

プレゼンワークブック

2nd Edition

★★★★★★★★★★★★★★★★★★★★★★★★★★★★★★★★★★★

このワークブックは

英語でプレゼンテーションができるようになる教材です。聞き手に伝わるプレゼンテーションには英語力の他に、発表の態度、目線、声の大きさ、スライドを見せるタイミングなどのスキルが必要です。このワークブックでは、まず同世代のサンプルプレゼンテーションを動画で視聴してから、ポイントに沿ってスクリプトを作っていきます。Opening や Closing に適した表現や、スライドに注目させるための表現を使い、アクティビティーをしながら発表の態度を身につけていくことで、聞き手に伝わるプレゼンテーションを目指しましょう。

★★★★★★★★★★★★★★★★★★★★★★★★★★★★★★★★★★★

Contents

このワークブックの使い方

聞き手に伝わるプレゼンに必要なポイントを確認しよう！ pp.4-7

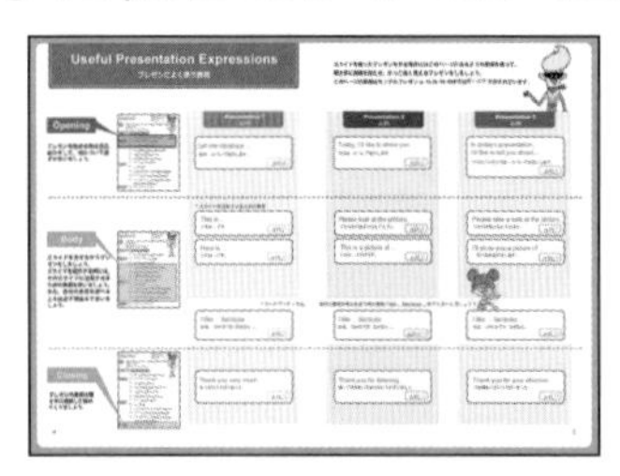

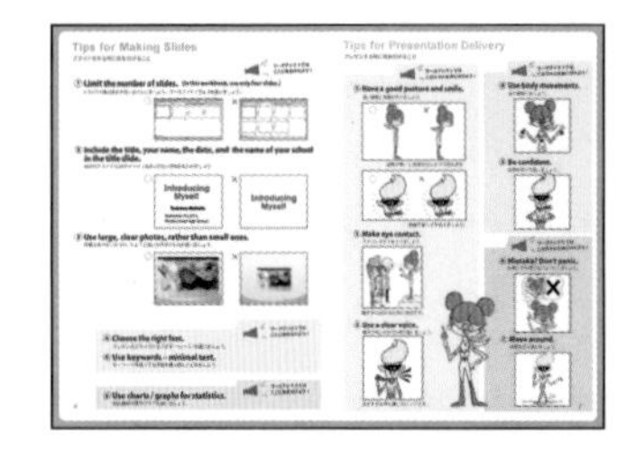

Presentation1～3の構成と進め方

Step 1 Watch it!

動画のサンプルプレゼンを見よう！

まずは、動画のサンプルプレゼンを見てみよう。

動画のサンプルプレゼンで使用されたスライドです。

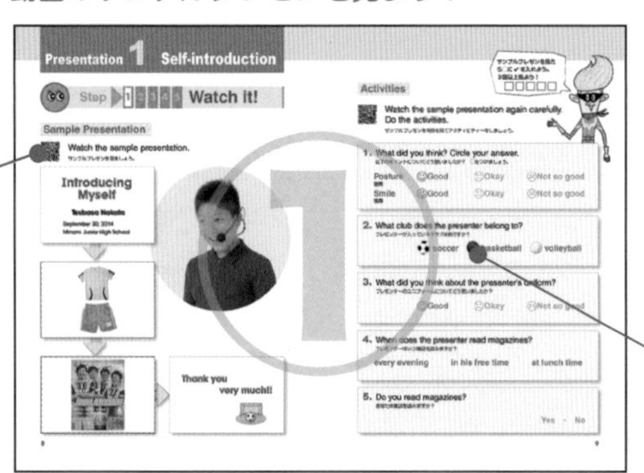

何度もサンプルプレゼンを見て、プレゼンの内容やプレゼンターの態度に関する質問に答えよう。

Step 2 Write it!

自分のプレゼンについてメモしよう！

サンプルプレゼンのスクリプトを見ながら、もう一度動画を見よう。声に出して、まねして言ってみよう。

青い文字は Useful Presentation Expressions(pp.4-5) で紹介されているフレーズです。

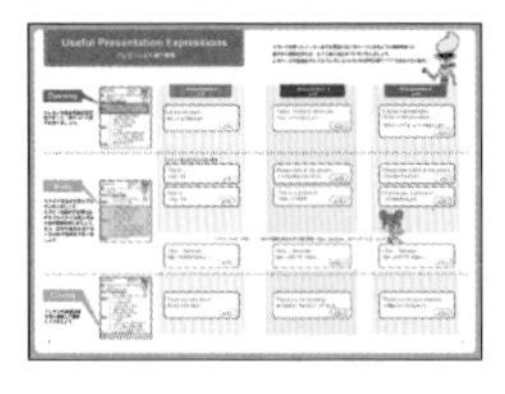

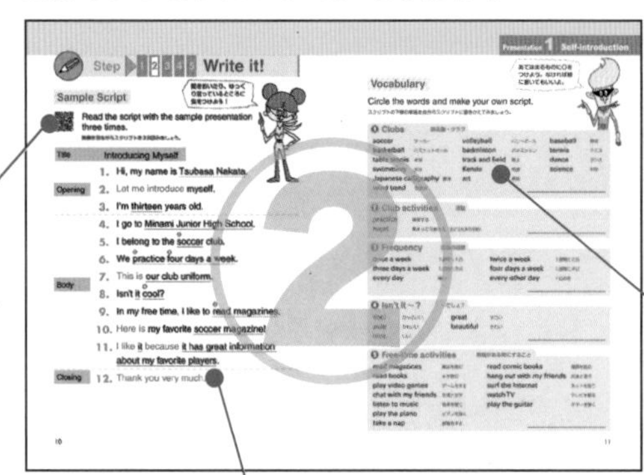

このページは左ページの「番号つき下線」がついている単語を置きかえるための単語集です。

当てはまるものに○を付けてみよう。なければ、自分で考えて線の上に書いてみよう。

このページの「下線」の単語を、自分のことにあてはまる単語に置きかえよう。

Step 3 Design it!

自分のプレゼンを作ろう！

まず、自分が見せるスライドのイメージを手描きしよう。その次に実際にコンピューターでスライドを作ろう。

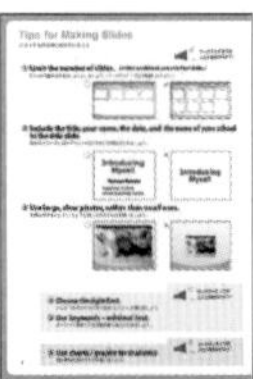

スライドを作る時には p.6 のポイントに気をつけよう。

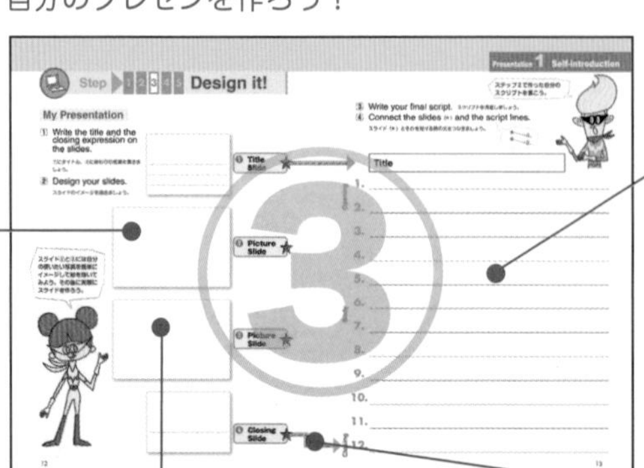

Write it! でメモした事をもと自分のプレゼンのスクリプト清書しよう。

自分のスクリプトができたスクリプトの文章とスライを線でつないで、スライド見せるタイミングを決めよう

Step 4 Present it!

プレゼンをするための準備をしよう！

プレゼンのスクリプトを暗記するためにアイコンを描いてスクリプトを覚えよう。

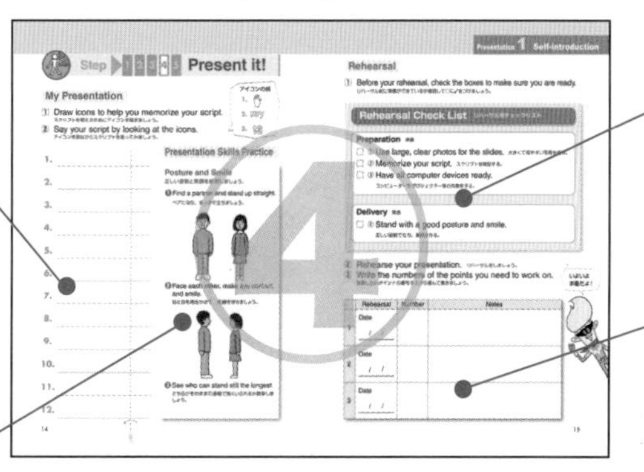

プレゼンをする時に必要な態度(p.7)を練習しよう。

発表前に必ずリハーサルをしよう。リハーサルの準備は整ったか、チェックリストで確認しよう。

リハーサルを最低3回はしよう。リハーサルの改善点に気を付けて、本番にチャレンジしよう。

Step 5 Evaluate it!

プレゼンが終わったら、振り返りをしよう！

他の人のプレゼンを見終ったら、英語でコメントを言えるようになろう。動画のサンプルを見ながらコメントの練習をしよう。

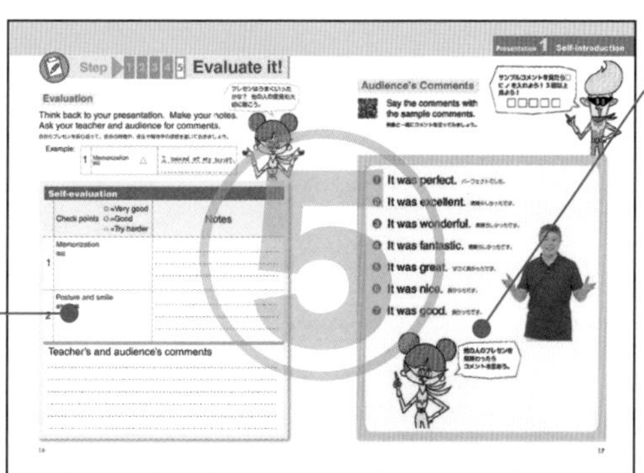

プレゼンの本番が終わったら、自分の反省点や聞き手の感想、先生のコメントを記入しよう。

他の人のプレゼンを見終ったら、p.45 の表に記録をしておこう。

Presentation 4 Make Your Own の構成と進め方

Presentation 4 では自分で自由にトピックを選んでプレゼンしよう。

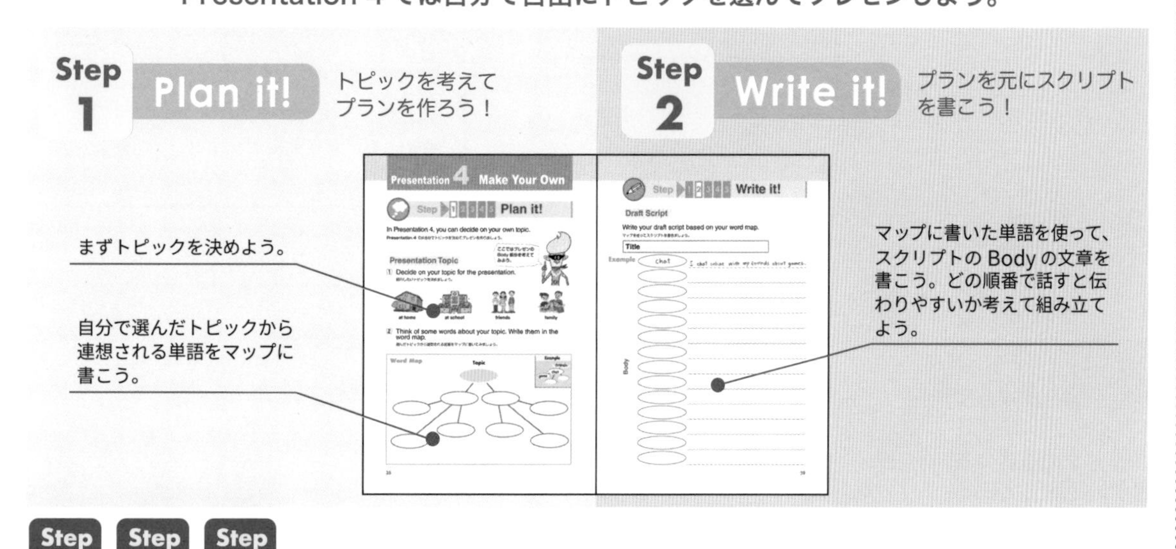

Step 1 Plan it!

トピックを考えてプランを作ろう！

まずトピックを決めよう。

自分で選んだトピックから連想される単語をマップに書こう。

Step 2 Write it!

プランを元にスクリプトを書こう！

マップに書いた単語を使って、スクリプトの Body の文章を書こう。どの順番で話すと伝わりやすいか考えて組み立てよう。

Step 3 Step 4 Step 5 は Presentation1～3と同じように進めよう。

Useful Presentation Expressions

プレゼンによく使う表現

Opening

プレゼンを始める時は自己紹介をして、何について話すか言いましょう。

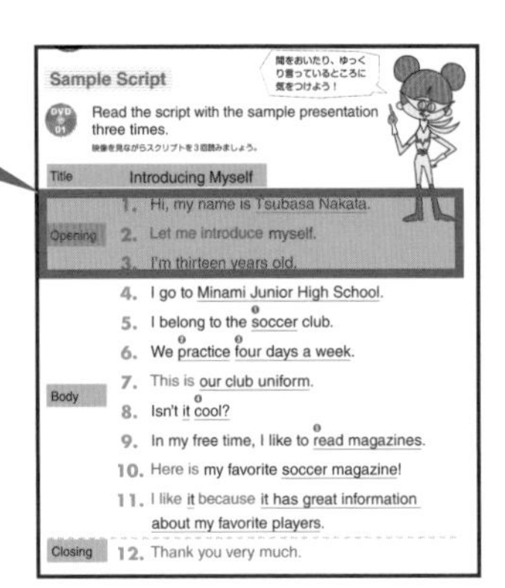

Sample Script

間をおいたり、ゆっくり言っているところに気をつけよう！

DVD 01 Read the script with the sample presentation three times.
映像を見ながらスクリプトを3回読みましょう。

Title	Introducing Myself
Opening	1. Hi, my name is Tsubasa Nakata. 2. Let me introduce myself. 3. I'm thirteen years old.
Body	4. I go to Minami Junior High School. 5. I belong to the soccer club. 6. We practice four days a week. 7. This is our club uniform. 8. Isn't it cool? 9. In my free time, I like to read magazines. 10. Here is my favorite soccer magazine! 11. I like it because it has great information about my favorite players.
Closing	12. Thank you very much.

Presentation 1
p.10

Let me introduce ...
私の … について紹介します。

p.10_2

Body

スライドを見せながらプレゼンをしましょう。
スライドを紹介する時には、そのスライドに注目させるための表現を使いましょう。
また、自分の意見を述べるときは必ず理由まで言いましょう。

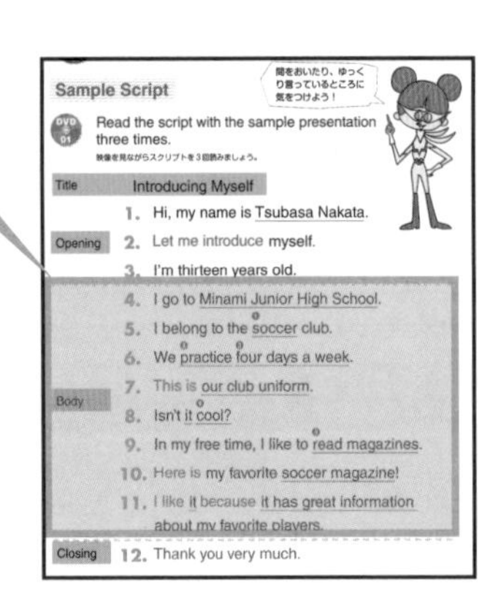

Sample Script

間をおいたり、ゆっくり言っているところに気をつけよう！

DVD 01 Read the script with the sample presentation three times.
映像を見ながらスクリプトを3回読みましょう。

Title	Introducing Myself
Opening	1. Hi, my name is Tsubasa Nakata. 2. Let me introduce myself. 3. I'm thirteen years old.
Body	4. I go to Minami Junior High School. 5. I belong to the soccer club. 6. We practice four days a week. 7. This is our club uniform. 8. Isn't it cool? 9. In my free time, I like to read magazines. 10. Here is my favorite soccer magazine! 11. I like it because it has great information about my favorite players.
Closing	12. Thank you very much.

*スライドを注目させるための表現

This is ...
これは … です。

p.10_7

Here is ...
これは … です。

p.10_10

*ワークブック１て

I like ... because ...
私は …. が好きです。なぜなら …. 。

p.10_11

Closing

プレゼンの最後は聞き手に感謝して締めくくりましょう。

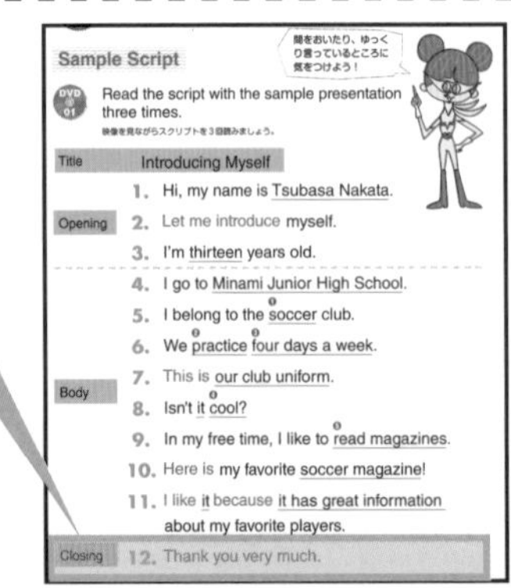

Sample Script

間をおいたり、ゆっくり言っているところに気をつけよう！

DVD 01 Read the script with the sample presentation three times.
映像を見ながらスクリプトを3回読みましょう。

Title	Introducing Myself
Opening	1. Hi, my name is Tsubasa Nakata. 2. Let me introduce myself. 3. I'm thirteen years old.
Body	4. I go to Minami Junior High School. 5. I belong to the soccer club. 6. We practice four days a week. 7. This is our club uniform. 8. Isn't it cool? 9. In my free time, I like to read magazines. 10. Here is my favorite soccer magazine! 11. I like it because it has great information about my favorite players.
Closing	12. Thank you very much.

Thank you very much.
ありがとうございました。

p.10_12

**スライドを使ったプレゼンをする場合にはこのページにあるような表現を使って、聞き手に興味を持たせ、かっこ良く見えるプレゼンをしましょう。
このページの表現はサンプルプレゼン (p. 10, 20, 30) の中では青い文字で示されています。**

Presentation 2 p.20	Presentation 3 p.30
Today, I'd like to show you ... 今日は ... について紹介します。 p.20_3	In today's presentation, I'd like to tell you about ... 今日のプレゼンでは .... についてお話しします。 p.30_4
Please look at the picture. こちらの写真をごらんください。 p.20_4	Please take a look at the picture. この写真をごらんください。 p.30_7
This is a picture of ... これは ... の写真です。 p.20_8	I'll show you a picture of ... ... の写真をお見せします。 p.30_10

の意見や考えを言う時の表現 I like ... because ... をマスターしましょう !!

I like ... because ... 私は .... が好きです。なぜなら .... 。 p.20_6/11	I like ... because ... 私は .... が好きです。なぜなら .... 。 p.30_13
Thank you for listening. 聞いて頂きましてありがとうございました。 p.20_12	Thank you for your attention. ご清聴ありがとうございました。 p.30_15

Tips for Making Slides

スライドを作る時に気を付けること

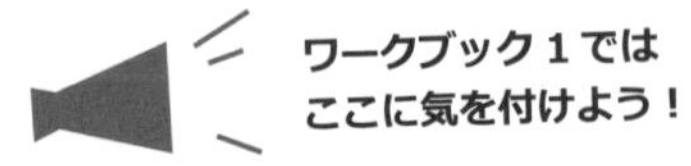

① Limit the number of slides. (In this workbook, use only four slides.)

スライドの数は多すぎないようにしましょう。（ワークブック１では４枚使いましょう。）

○
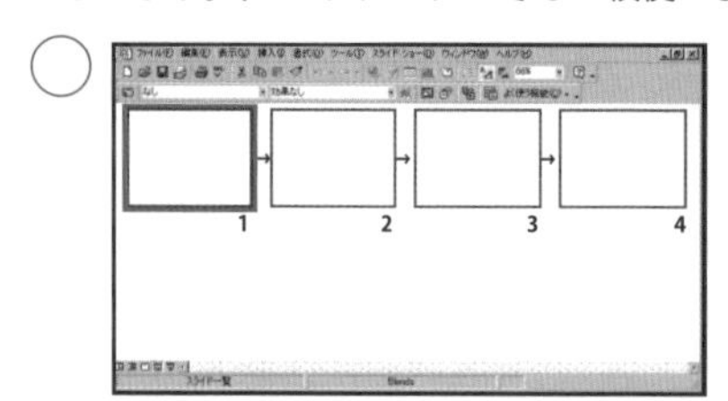

×
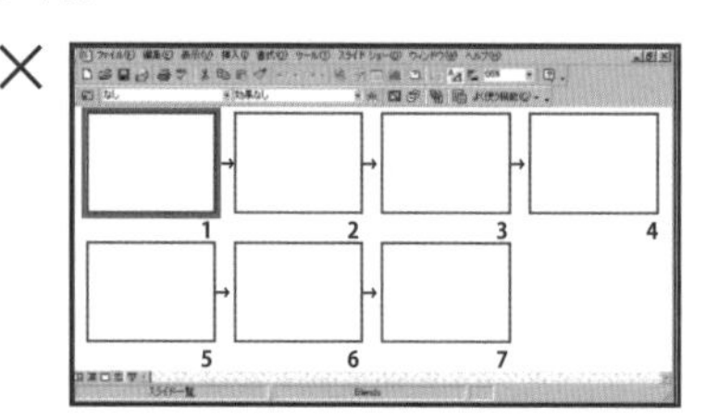

② Include the title, your name, the date, and the name of your school in the title slide.

始めのスライドにはタイトル / 氏名 / 日付 / 学校名を入れましょう。

○

Tsubasa Nakata

September 30, 2014

Minami Junior High School

×

Introducing Myself

③ Use large, clear photos, rather than small ones.

写真は見やすいように、ちょうど良い大きさのものを使いましょう。

○

×

ワークブック２では
ここに気を付けよう！

④ Choose the right font.

プレゼンのスライドに合う文字（フォント）を選びましょう。

⑤ Use keywords – minimal text.

キーワードを使って文字数を最小限にとどめましょう。

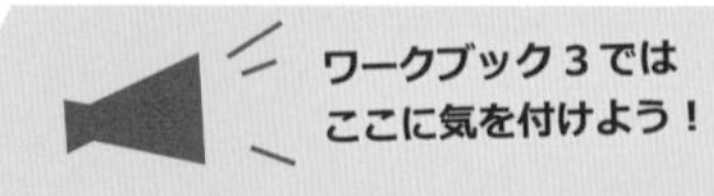

⑥ Use charts / graphs for statistics.

統計資料の表やグラフを使いましょう。

Tips for Presentation Delivery

プレゼンする時に気を付けること

ワークブック１では
このスキルを身に付けよう！

① Have a good posture and smile.

良い姿勢と笑顔を作りましょう。

姿勢が悪いと自信がないように見えます。

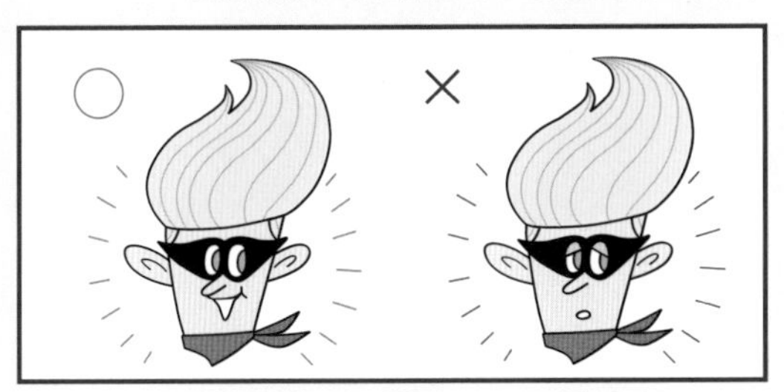

笑顔で楽しさを伝えましょう。

② Make eye contact.

アイコンタクトをとりましょう。

聞き手に伝えるために大切です。

③ Use a clear voice.

聞きやすい大きさの声で話しましょう。

大きすぎる声も聞こえにくいです。

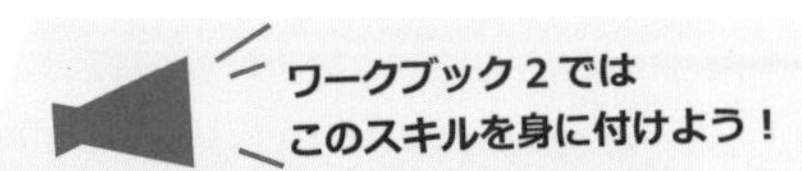

④ Use body movements.

体で表現しましょう。

⑤ Be confident.

自信を持って話しましょう。

ワークブック３では
このスキルを身に付けよう！

⑥ Mistake? Don't panic.

失敗しても慌てないようにしましょう。

⑦ Move around.

空間を広く使いましょう。

Presentation 1 Self-introduction

Step 1 2 3 4 5 Watch it!

Sample Presentation

Watch the sample presentation.
サンプルプレゼンを見ましょう。

Introducing Myself

Tsubasa Nakata

September 30, 2014
Minami Junior High School

Thank you very much!!

サンプルプレゼンを見たら□に✔を入れよう。
３回以上見よう！
□□□□□

Activities

Watch the sample presentation again carefully.
Do the activities.

サンプルプレゼンを何回も見てアクティビティーをしましょう。

1. What did you think? Circle your answer.
以下のポイントについてどう思いましたか？　○をつけましょう。

Posture 姿勢	☺Good	😐Okay	☹Not so good
Smile 笑顔	☺Good	😐Okay	☹Not so good

2. What club does the presenter belong to?
プレゼンターが入っているクラブは何ですか？

  **basketball**  **volleyball**

3. What did you think about the presenter's uniform?
プレゼンターのユニフォームについてどう思いましたか？

☺Good　😐Okay　☹Not so good

4. When does the presenter read magazines?
プレゼンターはいつ雑誌を読みますか？

every evening　**in his free time**　**at lunch time**

5. Do you read magazines?
あなたは雑誌を読みますか？

Yes ・ **No**

Step 1 2 3 4 5 Write it!

Sample Script

間をおいたり、ゆっくり言っているところに気をつけよう！

Read the script with the sample presentation three times.

映像を見ながらスクリプトを３回読みましょう。

Title	Introducing Myself
Opening	1. Hi, my name is Tsubasa Nakata.
	2. Let me introduce myself.
	3. I'm thirteen years old.
Body	4. I go to Minami Junior High School.
	5. I belong to the ❶ soccer club.
	6. We ❷ practice ❸ four days a week.
	7. This is our club uniform.
	8. Isn't it ❹ cool?
	9. In my free time, I like to ❺ read magazines.
	10. Here is my favorite soccer magazine!
	11. I like it because it has great information about my favorite players.
Closing	12. Thank you very much.

Vocabulary

Circle the words and make your own script.

スクリプトの下線の単語を自分のスクリプトに置きかえてみましょう。

① Clubs 部活動・クラブ

soccer	サッカー	volleyball	バレーボール	baseball	野球
basketball	バスケットボール	badminton	バドミントン	tennis	テニス
table tennis	卓球	track and field	陸上	dance	ダンス
swimming	水泳	Kendo	剣道	science	科学
Japanese calligraphy	書道	art	美術		
wind band	吹奏楽				

____

② Club activities 活動

practice	練習する
meet	集まって活動する（主に文化系の活動）

____

③ Frequency 活動の回数

once a week	1週間に1日	twice a week	1週間に2日
three days a week	1週間に3日	four days a week	1週間に4日
every day	毎日	every other day	1日おき

____

④ Isn't it ～ ? ～でしょ？

cool	かっこいい	great	すごい
cute	かわいい	beautiful	きれい
nice	いい		

____

⑤ Free-time activities 時間がある時にすること

read magazines	雑誌を読む	read comic books	漫画を読む
read books	本を読む	hang out with my friends	友達と遊ぶ
play video games	ゲームをする	surf the Internet	ネットを使う
chat with my friends	友達と話す	watch TV	テレビを観る
listen to music	音楽を聞く	play the guitar	ギターを弾く
play the piano	ピアノを弾く		
take a nap	昼寝をする		

____

Step 1 2 3 4 5 Design it!

My Presentation

1 Write the title and the closing expression on the slides.

①にタイトル、④に終わりの言葉を書きましょう。

2 Design your slides.

スライドのイメージを描きましょう。

❶ Title Slide

❷ Picture Slide

スライド②と③には自分の使いたい写真を簡単にイメージして絵を描いてみよう。その後に実際にスライドを作ろう。

❹ Closing Slide

ステップ２で作った自分の
スクリプトを書こう。

3 Write your final script. スクリプトを清書しましょう。

4 Connect the slides (★) and the script lines.

スライド（★）とそれを見せる時の文をつなぎましょう。

Title ______________________________

Opening

1. ______________________________

2. ______________________________

Body

3. ______________________________

4. ______________________________

5. ______________________________

6. ______________________________

7. ______________________________

8. ______________________________

9. ______________________________

10. ______________________________

Closing

11. ______________________________

12. ______________________________

Step 1 2 3 4 5 **Present it!**

My Presentation

1 Draw icons to help you memorize your script.
スクリプトを覚えるためにアイコンを描きましょう。

2 Say your script by looking at the icons.
アイコンを見ながらスクリプトを言ってみましょう。

アイコンの例
1. ✋
2. my
3. 13

1. ______
2. ______
3. ______
4. ______
5. ______
6. ______
7. ______
8. ______
9. ______
10. ______
11. ______
12. ______

↑山折り

Presentation Skills Practice

Posture and Smile

正しい姿勢と笑顔を練習しましょう。

❶ Find a partner and stand up straight.
ペアになり、まっすぐ立ちましょう。

❷ Face each other, make eye contact, and smile.
目と目を見合わせて、笑顔を作りましょう。

❸ See who can stand still the longest.
どちらがそのままの姿勢で長くいられるか競争しましょう。

Rehearsal

1 Before your rehearsal, check the boxes to make sure you are ready.
リハーサル前に準備ができているか確認して□に✓をつけましょう。

Rehearsal Check List リハーサル用チェックリスト

Preparation 準備

- □ ① Use large, clear photos for the slides. 大きくて見やすい写真を使う。
- □ ② Memorize your script. スクリプトを暗記する。
- □ ③ Have all computer devices ready.
  コンピューターやプロジェクター等の用意をする。

Delivery 発表

- □ ④ Stand with a good posture and smile.
  正しい姿勢で立ち、笑顔を作る。

2 Rehearse your presentation. リハーサルをしましょう。

3 Write the numbers of the points you need to work on.
改善したいポイントの番号を上から選んで書きましょう。

いよいよ
本番だよ！

	Rehearsal	Number	Notes
1	Date / /		
2	Date / /		
3	Date / /		

Step
1
2
3
4
5
Evaluate it!

Evaluation

プレゼンはうまくいったかな？ 他の人の意見も大切に聞こう。

Think back to your presentation. Make your notes.
Ask your teacher and audience for comments.

自分のプレゼンを振り返って、自分の評価や、先生や聞き手の感想を書いておきましょう。

Example:

1	Memorization 暗記 △	I looked at my script.

Self-evaluation

	Check points ◎=Very good ○=Good △=Try harder	Notes
1	Memorization 暗記	
2	Posture and smile 姿勢と笑顔	

Teacher's and audience's comments

Audience's Comments

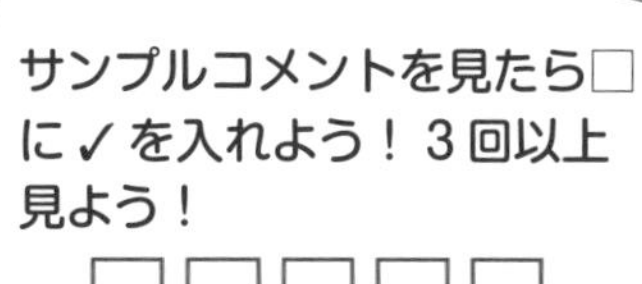
サンプルコメントを見たら□
に✓を入れよう！ 3回以上
見よう！
□□□□□

Say the comments with the sample comments.

映像と一緒にコメントを言ってみましょう。

❶ It was perfect. パーフェクトでした。

❷ It was excellent. 素晴らしかったです。

❸ It was wonderful. 素晴らしかったです。

❹ It was fantastic. 素晴らしかったです。

❺ It was great. すごく良かったです。

❻ It was nice. 良かったです。

❼ It was good. 良かったです。

他の人のプレゼンを
見終わったら
コメントを言おう。

Presentation 2 My Favorites

Step 1 2 3 4 5 Watch it!

Sample Presentation

Watch the sample presentation.
サンプルプレゼンを見ましょう。

My Favorites

Chiaki Sasagawa

May 27, 2014
Daini Junior High School

Thank you for listening!!

サンプルプレゼンを見たら□に✔を入れよう。
３回以上見よう！
□□□□□

Activities

Watch the sample presentation again carefully.
Do the activities.

サンプルプレゼンを何回も見てアクティビティーをしましょう。

1. What did you think? Circle your answer.
以下のポイントについてどう思いましたか？　○をつけましょう。

Eye contact アイコンタクト　☺Good　😐Okay　☹Not so good

2. What are the presenter's favorites?
プレゼンターのお気に入りのものは何ですか？

T-shirt　sweatshirt　sweater
shorts　jeans　skirt

3. What did you think about the presenter's favorites?
プレゼンターのお気に入りのものについてどう思いましたか？

☺Good　😐Okay　☹Not so good

4. What are your favorite clothes? Write them down.
あなたのお気に入りの洋服は何ですか？　書きましょう。

________________　________________
________________　________________

5. Do you get an allowance?
あなたはおこづかいをもらいますか？

Yes ・ No

Step 1 2 3 4 5 Write it!

Sample Script

間をおいたり、ゆっくり言っているところに気をつけよう！

Read the script with the sample presentation three times.

映像を見ながらスクリプトを３回読みましょう。

Title	My Favorites
	1. Hi, my name is Chiaki Sasagawa.
Opening	2. I'm interested in ❶fashion.
	3. Today, I'd like to show you my favorites.
	4. Please look at the picture.
	5. These are my favorite ❷T-shirt and ❷jeans.
	6. I like them because they are ❸trendy.
	7. I usually ❹wear them when I ❺go out.
Body	8. This is a picture of my favorite ❻clothing store in Harajuku.
	9. I think this place is especially ❸exciting for students.
	10. My mother sometimes gives me an allowance to buy some clothes.
	11. I like ❶fashion because it makes me ❼happy.
Closing	12. Thank you for listening.

あてはまるものに○をつけよう。なければ線に書いてもいいよ。

Vocabulary

Circle the words and make your own script.

スクリプトの下線の単語を自分のスクリプトに置きかえてみましょう。

① Interests 興味

fashion ファッション　music 音楽　sport スポーツ　movies 映画
comics 漫画　books 本　games ゲーム　＿＿＿＿＿＿

② Favorite things / people 好きなもの、人

T-shirt Tシャツ　jeans ジーンズ　sweatshirt スエットシャツ　singer 歌手
boots ブーツ　uniform ユニフォーム　CD CD　actor 俳優
band バンド　athlete スポーツ選手　team チーム　cartoonist 漫画家
director 監督　DVD DVD　character キャラクター　author 作家
game ゲーム　＿＿＿＿＿＿

③ Reasons 理由

trendy 流行っている　comfortable 快適な　great すごい　cute かわいい
exciting わくわくする　cool かっこいい　special 特別な　unique 独特な
thrilling スリル満点な　moving 感動的な　fun 面白い
good-looking 顔立ちがいい　＿＿＿＿＿＿

④ What you do すること

wear 着る　listen to 聞く　play プレイする・遊ぶ
read 読む　watch 観る　＿＿＿＿＿＿

⑤ When you do it する時

go out 外出する　have free time 時間がある　feel tired 疲れている
am bored 退屈している　want to relax リラックスしたい　＿＿＿＿＿＿

⑥ Place 場所

clothing store 洋服店　sporting goods store スポーツ用品店
music store レコード店　bookstore 本屋
movie theater 映画館　electronics store 電気店　＿＿＿＿＿＿

⑦ How you feel 気持ち

happy うれしい　feel good 気分が良い　feel better 気分が良くなる
relaxed リラックスした　laugh 笑う　＿＿＿＿＿＿

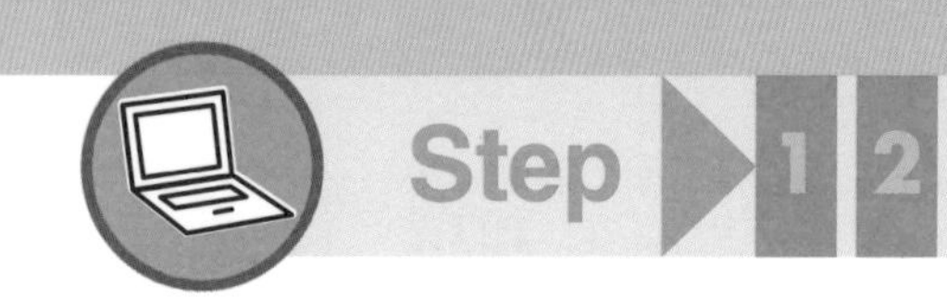

1 2 3 4 5

Design it!

My Presentation

1 Write the title and the closing expression on the slides.

①にタイトル、④に終わりの言葉を書きましょう。

2 Design your slides.

スライドのイメージを描きましょう。

❶ Title Slide

❷ Picture Slide

スライド②と③には自分の使いたい写真を簡単にイメージして絵を描いてみよう。その後に実際にスライドを作ろう。

❹ Closing Slide

ステップ２で作った自分の
スクリプトを書こう。

3 Write your final script. スクリプトを清書しましょう。

4 Connect the slides (★) and the script lines.

スライド（★）とそれを見せる時の文をつなぎましょう。

Title

Opening

1. ______

2. ______

3. ______

Body

4. ______

5. ______

6. ______

7. ______

8. ______

9. ______

10. ______

11. ______

Closing

12. ______

Step 1 2 3 4 5 Present it!

My Presentation

アイコンの例
1.
2.
3.

1 Draw icons to help you memorize your script.
スクリプトを覚えるためにアイコンを描きましょう。

2 Say your script by looking at the icons.
アイコンを見ながらスクリプトを言ってみましょう。

1. ______________________

2. ______________________

3. ______________________

4. ______________________

5. ______________________

6. ______________________

7. ______________________

8. ______________________

9. ______________________

10. ______________________

11. ______________________

12. ______________________

↑山折り

Presentation Skills Practice

Eye Contact

アイコンタクトを練習しましょう。

❶ Stand up in the speaker's spot. Pick A at the left back, B at the right center, and C at the left front.
話す位置に立ち、一番左後を A、真ん中の右を B、一番手前左を C として目印を決めましょう。

❷ Say "Hi, how are you?" while making eye contact with A. Do the same to B, then to C.
A → B → C の順に目線を合わせながら、"Hi, how are you?" と言いましょう。

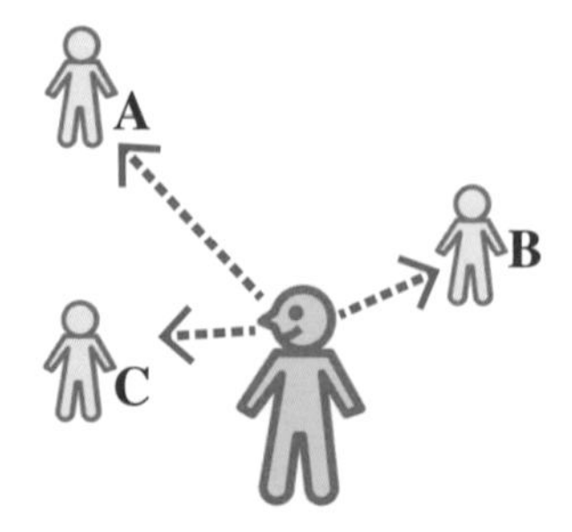

Rehearsal

1 Before your rehearsal, check the boxes to make sure you are ready.
リハーサル前に準備ができているか確認して□に✓をつけましょう。

Rehearsal Check List リハーサル用チェックリスト

Preparation 準備

- □ ① Use large, clear photos for the slides. 大きくて見やすい写真を使う。
- □ ② Memorize your script. スクリプトを暗記する。
- □ ③ Have all computer devices ready.
  コンピューターやプロジェクター等の用意をする。

Delivery 発表

- □ ④ Stand with a good posture and smile.
  正しい姿勢で立ち、笑顔を作る。
- □ ⑤ Make eye contact. アイコンタクトをとる。

2 Rehearse your presentation. リハーサルをしましょう。

3 Write the numbers of the points you need to work on.
改善したいポイントの番号を上から選んで書きましょう。

	Rehearsal	Number	Notes
1	Date / /		
2	Date / /		
3	Date / /		

Step 1 2 3 4 5 Evaluate it!

Evaluation

プレゼンはうまくいったかな？ 他の人の意見も大切に聞こう。

Think back to your presentation. Make your notes.
Ask your teacher and audience for comments.

自分のプレゼンを振り返って、自分の評価や、先生や聞き手の感想を書いておきましょう。

Example:

1	Memorization 暗記 △	I looked at my script.

Self-evaluation

	Check points ◎=Very good ○=Good △=Try harder	Notes
1	Memorization 暗記	
2	Posture and smile 姿勢と笑顔	
3	Eye contact アイコンタクト	

Teacher's and audience's comments

Audience's Comments

Say the comments with the sample comments.

映像と一緒にコメントを言ってみましょう。

❶ I liked your presentation!

プレゼン全体が良かったです！

❷ I liked your topic!

トピックが良かったです！

❸ I liked your slides!

スライドが良かったです！

❹ I liked your good posture!

姿勢が良かったです！

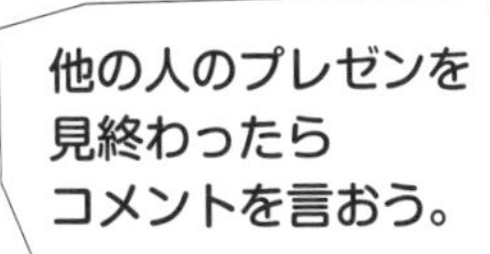

❺ I liked your smile!

笑顔が良かったです！

❻ I liked your good eye contact!

アイコンタクトが良かったです！

❼ I liked your clear voice!

はっきり聞こえる声が良かったです！

Presentation 3 Travel and Holidays

Step    Watch it!

Sample Presentation

Watch the sample presentation.
サンプルプレゼンを見ましょう。

Trip to Hokkaido

Ayano Sato

October 12, 2014
Midori Junior High School

Thank you for your attention!!

サンプルプレゼンを見たら□に ✔ を入れよう。
3回以上見よう！

Activities

Watch the sample presentation again carefully.
Do the activities.

サンプルプレゼンを何回も見てアクティビティーをしましょう。

1. What did you think? Circle your answer.
以下のポイントについてどう思いましたか？　○をつけましょう。

Clear voice 聞きやすい大きさの声　☺ **Good**　😐 **Okay**　☹ **Not so good**

2. When did the presenter go to Hokkaido?
いつプレゼンターは北海道に行きましたか？

spring vacation　**summer vacation**　**winter vacation**

3. Where did the presenter go in Hokkaido?
プレゼンターは北海道でどこに行きましたか？

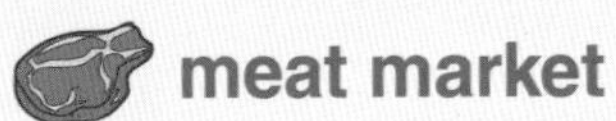

fish market　**meat market**

sushi restaurant　**steak restaurant**

farm

zoo

aquarium

4. Have you been to Hokkaido?
あなたは北海道に行ったことがありますか？

Yes ・ **No**

5. What would you like to do in Hokkaido?
あなたは北海道で何をしたいですか？

eat seafood　**eat ramen**　**eat fresh ice cream**
visit a farm　**go fishing**　**visit a zoo**　**ski**

Step 1 2 3 4 5 Write it!

Sample Script

間をおいたり、ゆっくり言っているところに気をつけよう！

Read the script with the sample presentation three times.

映像を見ながらスクリプトを３回読みましょう。

Title Trip to Hokkaido

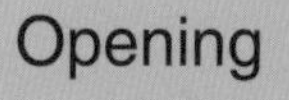

Opening

1. Hello, everyone.
2. My name is Ayano Sato.
3. I like animals very much.
4. In today's presentation, I'd like to tell you about my ❶summer vacation.

Body

5. I went to Hokkaido with ❷my family.
6. We ❸went to a sushi ❹restaurant there.
7. Please take a look at the picture.
8. The sushi was really fresh.
9. Then, we ❸visited Asahiyama Zoo.
10. I'll show you a picture of the ❹zoo.
11. I ❸saw many kinds of animals and birds.
12. I also ❸learned about their habits there.
13. I like this ❹zoo because it's ❺animal friendly.
14. I will never forget my trip to Hokkaido.

Closing

15. Thank you for your attention.

あてはまるものに○をつけよう。なければ線に書いてもいいよ。

Vocabulary

Circle the words and make your own script.

スクリプトの下線の単語を自分のスクリプトに置きかえてみましょう。

❶ Seasons / Holidays 季節・休暇

spring	春	summer	夏	fall / autumn	秋	winter	冬
Christmas	クリスマス	New Year	新年	＿＿＿＿＿＿			

❷ With whom? 誰と

myをつける単語 （例） my family

family	家族	parents	両親	family friend	家族の友達		
grandparents	祖父母	brother(s)	兄弟	sister(s)	姉妹	uncle(s)	おじ
aunt(s)	おば	cousin(s)	いとこ	friend(s)	友達		

the members of my club クラブの友達 ＿＿＿＿＿＿

❸ What you did やったこと

went to	行った	visited	訪問した	walked	歩いた	enjoyed	楽しんだ
experienced	経験した	ate	食べた	watched	観た	saw	見た
learned about	学んだ	ran	走った	climbed	登った	swam	泳いだ

played the (instrument) （楽器）を演奏した

played (sports) （スポーツ）をした ＿＿＿＿＿＿

❹ Places / Facilities 場所・施設

restaurant	レストラン	zoo	動物園	aquarium	水族館
museum	美術館（博物館）	swimming pool	プール	amusement park	遊園地
temple	寺	shrine	神社	park	公園
farm	牧場	mountain	山	beach	海辺
island	島	waterfall	滝	hot spring	温泉
hotel	ホテル	Japanese inn	旅館	campsite	キャンプ場
friend's house	友達の家	relative's house	親戚の家	＿＿＿＿＿＿	

❺ What you think about it どんな感じ

animal friendly	動物に優しい	eco-friendly	環境に優しい	beautiful	美しい
full of nature	自然がたくさんある	entertaining	楽しい	exciting	わくわくする
interesting	興味深い	fun	面白い	＿＿＿＿＿＿	

Step 1 2 3 4 5 Design it!

My Presentation

1 Write the title and the closing expression on the slides.

①にタイトル、④に終わりの言葉を書きましょう。

2 Design your slides.

スライドのイメージを描きましょう。

❶ Title Slide ★

❷ Picture Slide ★

スライド②と③には自分の使いたい写真を簡単にイメージして絵を描いてみよう。その後に実際にスライドを作ろう。

❸ Picture Slide ★

❹ Closing Slide ★

ステップ2で作った自分の
スクリプトを書こう。

3 Write your final script. スクリプトを清書しましょう。

4 Connect the slides (★) and the script lines.

スライド（★）とそれを見せる時の文をつなぎましょう。

Title

Opening

1. ______________________________

2. ______________________________

3. ______________________________

4. ______________________________

5. ______________________________

6. ______________________________

7. ______________________________

Body

8. ______________________________

9. ______________________________

10. ______________________________

11. ______________________________

12. ______________________________

13. ______________________________

14. ______________________________

Closing

15. ______________________________

Step 1 2 3 4 5 Present it!

My Presentation

1 Draw icons to help you memorize your script.
スクリプトを覚えるためにアイコンを描きましょう。

2 Say your script by looking at the icons.
アイコンを見ながらスクリプトを言ってみましょう。

1. ______
2. ______
3. ______
4. ______
5. ______
6. ______
7. ______
8. ______
9. ______
10. ______
11. ______
12. ______
13. ______
14. ______
15. ______

↑山折り

Presentation Skills Practice

Clear Voice

聞きやすい大きさの声で話す練習をしましょう。

❶ Stand in pairs and face each other.
ペアになり、向かい合って立ちましょう。

❷ Say "Hi, my name is ____ ." to your partner in a clear voice. Take turns and practice.
聞きやすい大きさの声で相手に "Hi, my name is ____ ." とお互いに言いましょう。

❸ Take one step back from each other and repeat. Keep doing the same until you reach the wall.
お互いに一歩ずつ後に下がり、壁に行きつくまで続けてみましょう。

Rehearsal

1 Before your rehearsal, check the boxes to make sure you are ready.
リハーサル前に準備ができているか確認して□に✓をつけましょう。

Rehearsal Check List リハーサル用チェックリスト

Preparation 準備

- □ ① Use large, clear photos for the slides. 大きくて見やすい写真を使う。
- □ ② Memorize your script. スクリプトを暗記する。
- □ ③ Have all computer devices ready.
  コンピューターやプロジェクター等の用意する。

Delivery 発表

- □ ④ Stand with a good posture and smile.
  正しい姿勢で立ち、笑顔を作る。
- □ ⑤ Make eye contact. アイコンタクトをとる。
- □ ⑥ Use a clear voice. 聞きやすい大きさの声で話す。

2 Rehearse your presentation. リハーサルをしましょう。

3 Write the numbers of the points you need to work on.
改善したいポイントの番号を上から選んで書きましょう。

	Rehearsal	Number	Notes
1	Date / /		
2	Date / /		
3	Date / /		

Evaluation

プレゼンはうまくいったかな？ 他の人の意見も大切に聞こう。

Think back to your presentation. Make your notes.
Ask your teacher and audience for comments.

自分のプレゼンを振り返って、自分の評価や、先生や聞き手の感想を書いておきましょう。

Example:

1	Memorization 暗記 △	I looked at my script.

Self-evaluation

	Check points ◎=Very good ○=Good △=Try harder	Notes
1	Memorization 暗記	
2	Posture and smile 姿勢と笑顔	
3	Eye contact アイコンタクト	
4	Clear voice 聞きやすい大きさの声	

Teacher's and audience's comments

サンプルコメントを見たら□に✓を入れよう！３回以上見よう！
□□□□□

Audience's Comments

Say the comments with the sample comments.
映像と一緒にコメントを言ってみましょう。

❶ It was perfect! I liked your presentation.
パーフェクトでした！　プレゼン全体が良かったです。

❷ It was excellent! I liked your topic.
素晴らしかったです！　トピックが良かったです。

❸ It was wonderful! I liked your slides.
素晴らしかったです！　スライドが良かったです。

❹ It was fantastic! I liked your good posture.
素晴らしかったです！　姿勢が良かったです。

❺ It was great! I liked your smile.
すごく良かったです！　笑顔が良かったです。

❻ It was nice! I liked your good eye contact.
良かったです！　アイコンタクトが良かったです。

❼ It was good! I liked your clear voice.
良かったです！　はっきり聞こえる声が良かったです。

Presentation 4 Make Your Own

In Presentation 4, you can decide on your own topic.

Presentation 4 では自分でトピックを決めてプレゼンを作りましょう。

ここではプレゼンの
Body 部分を考えて
みよう。

Presentation Topic

1 Decide on your topic for the presentation.

紹介したいトピックを決めましょう。

at home

at school

friends

family

2 Think of some words about your topic. Write them in the word map.

選んだトピックから連想される言葉をマップに書いてみましょう。

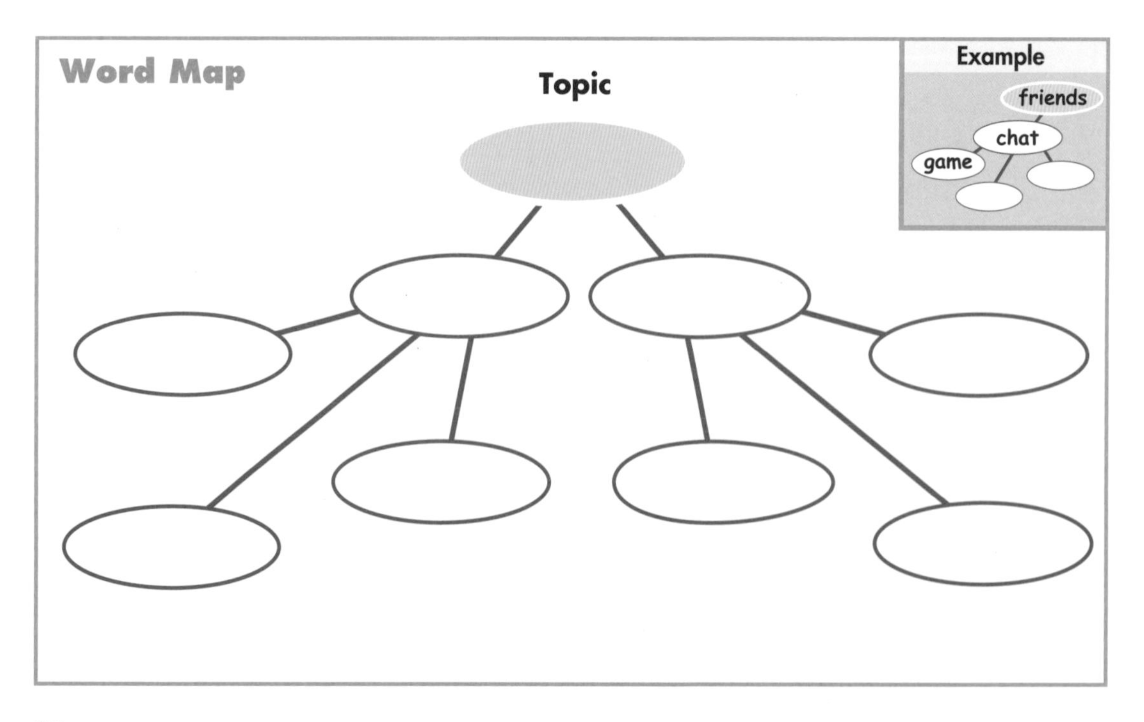

Draft Script

Write your draft script based on your word map.

マップを使ってスクリプトを書きましょう。

Title

Example

chat — I chat online with my friends about games.

Body

Step 1 2 3 4 5 Design it!

My Presentation

1 Write the title and the closing expression on the slides.

①にタイトル、④に終わりの言葉を書きましょう。

2 Design your slides.

スライドのイメージを描きましょう。

❶ Title Slide

❷ Picture Slide

スライド②と③には自分の使いたい写真を簡単にイメージして絵を描いてみよう。その後に実際にスライドを作ろう。

❹ Closing Slide

ステップ2で作った自分のスクリプトを書こう。
Opening と Closing は pp.4-5 から選ぼう。

3 Write your final script. スクリプトを清書しましょう。

4 Connect the slides (★) and the script lines.

スライド（★）とそれを見せる時の文をつなぎましょう。

★→4.
★→8.

Title

Opening

1. ______
2. ______
3. ______
4. ______
5. ______
6. ______
7. ______

Body

8. ______
9. ______
10. ______
11. ______
12. ______
13. ______
14. ______

Closing

15. ______

Step 1 2 3 4 5 Present it!

My Presentation

アイコンの例
1. (hand icon)
2. name
3. (bear and heart icon)

1 Draw icons to help you memorize your script.
スクリプトを覚えるためにアイコンを描きましょう。

2 Say your script by looking at the icons.
アイコンを見ながらスクリプトを言ってみましょう。

1. ______
2. ______
3. ______
4. ______
5. ______
6. ______
7. ______
8. ______
9. ______
10. ______
11. ______
12. ______
13. ______
14. ______
15. ______

↑山折り

Presentation Skills Practice

Review

もう一度練習しましょう。

❶ Practice standing with a good posture and smile. (p.14)
正しい姿勢と笑顔を練習しましょう。

❷ Practice making good eye contact. (p.24)
アイコンタクトを練習しましょう。

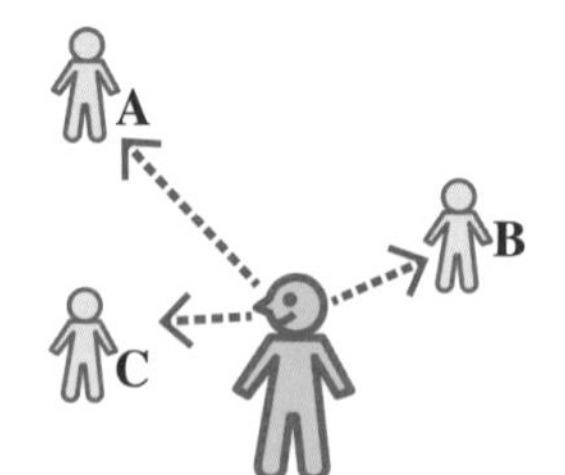

❸ Practice using a clear voice. (p.34)
聞きやすい大きさの声で話す練習をしましょう。

Rehearsal

1 Before your rehearsal, check the boxes to make sure you are ready.
リハーサル前に準備ができているか確認して□に✓をつけましょう。

Rehearsal Check List リハーサル用チェックリスト

Preparation 準備

- □ ① Use large, clear photos for the slides. 大きくて見やすい写真を使う。
- □ ② Memorize your script. スクリプトを暗記する。
- □ ③ Have all computer devices ready.
  コンピューターやプロジェクター等の用意する。

Delivery 発表

- □ ④ Stand with a good posture and smile.
  正しい姿勢で立ち、笑顔を作る。
- □ ⑤ Make eye contact. アイコンタクトをとる。
- □ ⑥ Use a clear voice. 聞きやすい大きさの声で話す。

2 Rehearse your presentation. リハーサルをしましょう。

3 Write the numbers of the points you need to work on.
改善したいポイントの番号を上から選んで書きましょう。

	Rehearsal	Number	Notes
1	Date / /		
2	Date / /		
3	Date / /		

Step 1 2 3 4 5 Evaluate it!

Evaluation

Think back to your presentation. Make your notes.
Ask your teacher and audience for comments.

自分のプレゼンを振り返って、自分の評価や、先生や聞き手の感想を書いておきましょう。

Example:

1	Memorization 暗記 	I looked at my script.

Self-evaluation

	Check points ◎=Very good ○=Good △=Try harder	Notes
1	Memorization 暗記	
2	Posture and smile 姿勢と笑顔	
3	Eye contact アイコンタクト	
4	Clear voice 聞きやすい大きさの声	

Teacher's and audience's comments

Keep a record of the presentations you watched.

友達のプレゼンを見たら記録に残しておきましょう。

No.	Date	Presenter	Topic	Evaluation
例	9/30	Tsubasa	Introducing Myself	eye contact ◎ topic 〇

サンプルスピーチのスクリプトのまとめ

Presentation 1　Self-introduction

1. Hi, my name is Tsubasa Nakata.	1. 私はナカタツバサです。
2. Let me introduce myself.	2. 私の事について紹介します。
3. I'm thirteen years old.	3. 私は 13 歳です。
4. I go to Minami Junior High School.	4. ミナミ中学校に通っています。
5. I belong to the soccer club.	5. サッカー部に所属しています。
6. We practice four days a week.	6. 私達は一週間に 4 日、練習しています。
7. This is our club uniform.	7. これは私達のクラブのユニフォームです。
8. Isn't it cool?	8. かっこいいと思いませんか？
9. In my free time, I like to read magazines.	9. 私は時間がある時は、雑誌を読むのが好きです。
10. Here is my favorite soccer magazine!	10. これは私の大好きなサッカー雑誌です！
11. I like it because it has great information about my favorite players.	11. 私はこの雑誌が好きです。なぜなら、大好きな選手の情報が載っているからです。
12. Thank you very much.	12. ありがとうございました。

Presentation 2　My Favorites

1. Hi, my name is Chiaki Sasagawa.	1. 私はササガワチアキです。
2. I'm interested in fashion.	2. 私はファッションに興味があります。
3. Today, I'd like to show you my favorites.	3. 今日は私の好きなものを紹介します。
4. Please look at the picture.	4. こちらの写真をごらんください。
5. These are my favorite T-shirt and jeans.	5. これが私のお気に入りの T シャツとジーンズです。
6. I like them because they are trendy.	6. 私はこの洋服が好きです。なぜなら、流行っているからです。
7. I usually wear them when I go out.	7. 私は普段、これらを外出する時に着ます。
8. This is a picture of my favorite clothing store in Harajuku.	8. これは原宿にある私の大好きな洋服のお店の写真です。
9. I think this place is especially exciting for students.	9. ここは特に学生がわくわくするところだと思います。
10. My mother sometimes gives me an allowance to buy some clothes.	10. 私の母は洋服を買うためにときどきおこづかいをくれます。
11. I like fashion because it makes me happy.	11. 私はファッションが好きです。なぜなら、私をうれしくさせてくれるからです。
12. Thank you for listening.	12. 聞いて頂きましてありがとうございました。

Presentation 3 Travel and Holidays

1.	Hello, everyone.	1.	皆さん、こんにちは。
2.	My name is Ayano Sato.	2.	私はサトウアヤノです。
3.	I like animals very much.	3.	私は動物が大好きです。
4.	In today's presentation, I'd like to tell you about my summer vacation.	4.	今日のプレゼンでは、私の夏休みについてお話しします。
5.	I went to Hokkaido with my family.	5.	私は家族と北海道に行きました。
6.	We went to a sushi restaurant there.	6.	そこで私達はお寿司屋さんに行きました。
7.	Please take a look at the picture.	7.	この写真をごらんください。
8.	The sushi was really fresh.	8.	このお寿司は本当に新鮮でした。
9.	Then, we visited Asahiyama Zoo.	9.	それから、私達は旭山動物園に行きました。
10.	I'll show you a picture of the zoo.	10.	みなさんにその動物園の写真をお見せします。
11.	I saw many kinds of animals and birds.	11.	私はたくさんの種類の動物と鳥を見ました。
12.	I also learned about their habits there.	12.	私はそこで、動物達の習性も学びました。
13.	I like this zoo because it's animal friendly.	13.	私はこの動物園が好きです。なぜなら、動物にやさしいからです。
14.	I will never forget my trip to Hokkaido.	14.	私はこの北海道旅行を決して忘れないでしょう。
15.	Thank you for your attention.	15.	ご静聴ありがとうございました。

Presentation Workbook 1 2nd Edition
プレゼンワークブック

発行日	2014年 9月15日 初版 第1刷
	2022年 10月20日 第2版 第1刷
執筆	田村佳子
執筆協力	千葉成美・松香 マックドゥーグル 明子
本文デザイン	トライアングル
表紙デザイン	柿沼みさと
イラスト	武曽宏幸
英文校正	Glenn McDougall
写真提供	旭川市旭山動物園 / 株式会社フロムワン
	株式会社 アマナイメージズ / shutterstock
印刷	シナノ印刷株式会社
発行	株式会社 mpi 松香フォニックス
	〒151-0053 東京都渋谷区代々木 2-16-2 第二甲田ビル 2F
	fax: 03-5302-1652 URL: https://www.mpi-j.co.jp
【動画】	
出演者	戸田ダリオ / つのだりく / ずずきあやか / ひぐらしさつき
録音・動画製作	株式会社 パセリプロモーション
Special thanks to	岩垣伸二 / 岡田ゆかり / 粕谷みゆき / ゴーン恵美 / 酒井和子 / 芝田由美子 / 鈴木美香 / 高本博美

 ISBN 978-4-89643-787-4